Nouvelles du monde

Nouvelles du monde

AMÉLIE CHARCOSSET
HÉLÈNE KOSCIELNIAK
NOURA BENSAAD

LA COLLECTION MONDES EN VF

Collection dirigée par Myriam Louviot
Docteur en littérature comparée

www.mondesenvf.com

Le site *Mondes en VF* vous accompagne pas à pas pour enseigner la littérature en classe de FLE par des ateliers d'écriture avec :

- une fiche « Animer des ateliers d'écriture en classe de FLE » ;
- des fiches pédagogiques de 30 minutes « clé en main » et des listes de vocabulaire pour faciliter la lecture ;
- des fiches de synthèse sur des genres littéraires, des littératures par pays, des thématiques spécifiques, etc.

Téléchargez gratuitement la version audio MP3

Dans la collection Mondes en VF

La cravate de Simenon, NICOLAS ANCION, 2012 (A2)
Pas d'Oscar pour l'assassin, VINCENT REMÈDE, 2012 (A2)
Papa et autres nouvelles, VASSILIS ALEXAKIS, 2012 (B1)
Quitter Dakar, SOPHIE-ANNE DELHOMME, 2012 (B2)
Enfin chez moi !, KIDI BEBEY, 2013 (A2)
Jus de chaussettes, VINCENT REMÈDE, 2013 (A2)
Un cerf en automne, ÉRIC LYSØE, 2013 (B1)
La marche de l'incertitude, YAMEN MANAÏ, 2013 (B1)
Le cœur à rire et à pleurer, MARYSE CONDÉ, 2013 (B2)
La voyeuse, FANTAH TOURÉ, 2014 (A2)
New York 24 h chrono, NICOLAS ANCION, 2014 (A2)
Orage sur le Tanganyika, WILFRIED N'SONDÉ, 2014 (B1)
Combien de fois je t'aime, SERGE JONCOUR, 2014 (B1)
Un temps de saison, MARIE NDIAYE, 2014 (B2)
L'Ancêtre sur son âne et autres nouvelles, ANDRÉE CHEDID, 2015 (B2)

L'Observatoire[1]

AMÉLIE CHARCOSSET

1. Observatoire (n.m.) : *Lieu d'où on peut regarder et étudier les oiseaux.*

À PROPOS DE L'AUTEUR

Amélie Charcosset est une écrivaine voyageuse. Elle a vécu en France, en Irlande, en Slovénie, au Kirghizstan et en Belgique. Elle passe aussi beaucoup de temps sur les routes et pratique volontiers l'auto-stop.

Ses écrits témoignent de son goût pour les rencontres avec l'autre et l'ailleurs.

8 février 2012, Alaska

Cher papy Lucien,

Je suis arrivé il y a quelques jours à l'observatoire. Quatre heures de voiture depuis l'aéroport, après les douze heures d'avion. C'est Stephan, mon nouveau collègue, qui est venu me chercher. Je n'ai pas commencé à travailler tout de suite. J'ai d'abord attendu que la fatigue du voyage me laisse tranquille[2]. J'ai beaucoup dormi. Et puis j'ai rencontré les autres membres de l'équipe. Quand je les appelle par leur prénom, ça les fait sourire, à cause de mon accent qui me fait dire des choses un peu

2. Laisser tranquille (expr.) : *Ne pas déranger, laisser en paix.*

étranges. C'est qu'ils parlent une langue que je ne connais pas bien. Parfois ça me rend triste, alors je pense à toi et à ce que tu m'as dit avant mon départ : je suis là pour parler avec les oiseaux, et ça, je sais faire.

Stephan est très grand et a une grosse barbe. Il a aussi un rire qui monte jusqu'au ciel, encore plus haut que les montagnes. Il m'impressionne beaucoup. Il y a Fiona, une fille un peu plus jeune que moi. Aux repas, elle mange des graines[3]. C'est elle l'oiseau, peut-être. Il y a aussi Sam, qui aime marcher sans chaussures ; Lawrence, qui est tout le temps en train de dessiner ; Carol, qui est là depuis des années et qui n'arrive pas à partir. Ils sont tous accueillants, tous gentils. Je pense que je vais être bien ici.

J'ai découvert les lieux aussi. Les montagnes sont immenses, plus hautes que dans ma tête. Ce n'est pas facile de penser à ce que

---

3. Graine (n.f.) : *Ce que l'on sème pour faire pousser des plantes ; nourriture des oiseaux.*

c'est, 3 000 mètres, avant de voir en vrai. C'est comme si on mettait cent vingt immeubles comme le nôtre ensemble, les uns sur les autres. Tu vois ! Je suis sûr que pour toi aussi, c'est compliqué à imaginer. Stephan connaît le paysage par cœur[4]. Il n'est pas né ici, mais les montagnes l'ont adopté[5]. Je pense que c'est à cause de son rire. On est obligé d'aimer quelqu'un qui rit comme ça. Le matin, il dit bonjour aux montagnes. Il discute avec elles, je veux dire, vraiment. Quelquefois, je pense que c'est à moi qu'il parle. Mais quand je lui demande de répéter, il me regarde, surpris. En fait, il parlait aux montagnes. Je me demande ce qu'il leur raconte. Je ne sais pas si elles répondent…

Je suis installé dans une petite chambre. Il y a un lit, une armoire, une table pour travailler.

---

4. Connaître par cœur (expr.) : *Savoir de mémoire (connaître un poème, des dates d'anniversaire par cœur). Ici, connaître très bien toutes les montagnes.*
5. Adopter (v.) : *Devenir parent d'un enfant qui n'est pas le sien. Ici, sens figuré, les montagnes l'ont accueilli comme un enfant du pays.*

C'est un peu froid comme endroit, mais ça m'est égal[6]. Et quand tu m'écriras, j'accrocherai ta carte postale au mur. De toute façon, je ne passerai pas beaucoup de temps à l'intérieur. L'air dehors est tellement pur ici, pas pollué[7] : ça change de notre chère capitale. Et puis bientôt, nous allons partir en expédition[8] pour plusieurs semaines. Je suis impatient !

Je suis impatient aussi de te lire. J'espère que tu me répondras plus vite que les montagnes.

Porte-toi bien[9].

Mathieu

---

6. Ça m'est égal (expr.) : *Ça m'est indifférent ; je ne suis pas concerné.*
7. Pollué (adj.) : *Sali par des produits chimiques (pollution).*
8. Expédition (n.f.) : *Voyage scientifique.*
9. Porte-toi bien : *Fais attention à toi, sois en bonne santé.*

17 février 2012, Paris

Mon petit Mathieu,

Là où tu es, les montagnes sont encore plus grandes que dans ta tête. Dans ma tête à moi, tu es plus petit qu'en vrai. C'est ça, d'être ton grand-père. Si tu grandis, ça veut dire que je deviens vieux. Je préfère que tu restes petit. Mais tu es quand même parti à 15 000 kilomètres pour observer les oiseaux. Il faut être grand pour partir comme ça, et ne pas avoir trop peur. C'est bien, c'est beau. As-tu vraiment fait douze heures d'avion ? Douze heures entières dans les airs ? Est-ce que les oiseaux peuvent faire ça ? Dis-moi.

Depuis que tu es parti, j'ai un appétit de moineau[10], je ne mange pas beaucoup. Ce n'est pas très drôle de manger sans toi, et de cuisiner seulement pour moi. C'est la première fois

---

10. Moineau (n.m.) : *Petit oiseau brun commun dans les villes d'Europe.*
Avoir un appétit de moineau (expr.) : *Manger très peu, comme cet oiseau.*

que ça m'arrive depuis au moins quinze ans. Mais ne t'inquiète pas, à part ça, tout va bien. Quelques prises de bec[11] avec les médecins, mais tu sais, comme d'habitude.

Prends soin de toi.

Papy Lucien

16 mars 2012, Alaska

Cher papy Lucien,

Je suis revenu des montagnes. Trois semaines où je n'ai vu personne. Pas un seul homme, seulement des oiseaux. Je devais les observer, les compter, prendre des notes. En haut, il faisait un froid de canard[12], j'avais du mal à écrire.

---

11. Prise de bec (expr.) : *Dispute.*
12. Canard (n.m.) : *Oiseau d'eau à palmes.*
Un froid de canard (expr.) : *Un froid très important, violent.*

Compter les lagopèdes[13] est un travail difficile : en hiver, ils deviennent tout blancs. Comme ça, on ne les voit pas dans la neige. Ils peuvent échapper aux renards qui essaient de les tuer. C'est leur technique pour survivre.

Je ne t'ai jamais parlé des lagopèdes, n'est-ce pas ? Je devais d'abord observer les rapaces[14] ; c'est pour eux que j'ai fait douze heures dans les airs. Ils sont tellement forts et élégants. Et puis il y a eu quelques changements ici à l'observatoire. Stephan m'a dit que j'avais maintenant une mission différente. Il était désolé, mais il n'avait pas le choix. Au début, j'étais très déçu. J'ai tourné en rond : j'ai hésité, j'ai tellement hésité que je suis parti plus tard que prévu. Je n'avais plus trop envie. Les lagopèdes ressemblent à des poules. Ils ont de courtes pattes. Je ne les trouvais pas très intéressants. Ils ne me faisaient pas rêver. Je suis venu ici

---

13. Lagopède (n.m.) : *Oiseau avec des pattes à plumes ; il vit dans les régions froides.*
14. Rapace (n.m.) : *Oiseau carnivore, au bec très coupant, et qui a une très bonne vue.*

pour réaliser un rêve, tu te souviens ? Et tout à coup, ça ne marchait plus…

Mais bon… Je suis parti. J'ai pris mon courage à deux mains[15], et mon sac à dos. J'ai eu besoin d'un temps d'adaptation : le blanc sur le blanc, les couleurs de l'hiver ; la solitude. Je me suis retrouvé soudain avec le silence. J'ai marché des kilomètres. Parfois, mon envie battait de l'aile[16], je voulais rentrer. Ton petit Mathieu s'est senti si petit parfois. Si pâle. Comme un lagopède, blanc sur blanc, invisible. Inutile.

Et finalement, j'ai pris l'habitude de tout ça. J'ai compris pourquoi j'étais là. Là dans ma tente – j'ai campé[17] pendant trois semaines –, là devant le feu, là dans ce pays, là dans cet Alaska, là loin de toi. J'étais là pour compter les lagopèdes, mais j'étais aussi là pour apprendre à compter sur moi.

---

15. Prendre son courage à deux mains (expr.) : *Rassembler toute son énergie et oublier sa peur pour faire quelque chose.*
16. Aile (n.f.) : *Partie du corps de l'oiseau qui lui permet de voler.* Battre de l'aile (expr.) : *Être en difficulté, perdre de la force, de l'efficacité.*
17. Camper (v.) : *Dormir à l'extérieur, souvent sous une tente.*

Souvent, j'ai chanté tout seul : j'avais peur de devenir fou si je n'entendais plus la voix des hommes. J'ai chanté des chansons que mamie Hélène chantait quand j'étais enfant, tu te souviens ?

Les lagopèdes habitent à la frontière entre les arbres et les montagnes. Depuis quelques années, à cause des changements du climat, ils doivent aller vivre de plus en plus loin, de plus en plus haut. Et c'est de plus en plus difficile. Peut-être qu'un jour, ils devront habiter seulement dans le ciel. Ne jamais s'arrêter de voler. Ne jamais se poser[18]. Est-ce que c'est terrible ou très agréable, comme possibilité ? Je n'arrive pas à décider.

J'ai observé une femelle de lagopède. Elle essayait d'avoir des petits. Mais un renard a mangé les œufs. Elle a essayé quatre fois, dans quatre endroits différents. À chaque fois, le renard est revenu. La cinquième fois, ça a

---

18. Se poser (v.) : *S'arrêter sur la terre (pour un oiseau, un avion).*

marché. Tu sais, les lagopèdes ressemblent peut-être à des poules mais ils m'apprennent à ne pas perdre espoir.

Voici quelques nouvelles du monde. De mon monde, en tout cas, ici, et maintenant. J'espère qu'à Paris, ça sent le printemps. Les lagopèdes vont redevenir bruns.

Dis-moi que tu vas bien.

Mathieu

30 mars 2012, Paris

Mathieu,

Est-ce que tu te sens pousser des ailes[19] ?

Hier, je suis allé donner à manger aux canards du parc. Des enfants couraient après

19. Se sentir pousser des ailes (expr.) : *Développer beaucoup d'énergie, de courage, d'espoir.*

les pigeons[20]. J'ai pensé à toi à l'âge de sept ans. Je t'ai déjà raconté cette histoire cent fois. Mais j'ai pensé que tu aimerais peut-être la relire dans ta petite chambre en Alaska. Tous les enfants courent après les pigeons, tous les enfants ont toujours couru après les pigeons. Pour leur faire peur, pour les voir s'envoler brusquement, avec violence. Pour rire ensuite.

Toi, petit, tu marchais doucement à côté des oiseaux, tu ne voulais surtout pas les effrayer. Tu disais que tu adorais les pigeons parce que personne ne voulait les aimer.

Je ne peux pas t'écrire plus, mon corps est fatigué. Envoie-moi une photo de toi à côté de ta tente, si tu veux bien.

À bientôt,

Papy Lucien

---

20. Pigeon (n.m.) : *Oiseau gris que l'on trouve beaucoup dans les villes, qui se nourrit de graines et de déchets alimentaires.*

13 avril 2012, Alaska

Papy Lucien,

Si tu étais là, tu pourrais respirer le dehors, ça te ferait du bien.

Ici à l'observatoire, les nouvelles sont bonnes. Nous avons réparé une partie du toit qui était en mauvais état. Quand j'étais là-haut, sur le toit, je me suis demandé si les oiseaux avaient peur du vide parfois. Ou si ce sont juste les hommes qui ont ça. Est-ce que tu sais, toi ?

En ce moment, on accueille des écoles. Les professeurs viennent avec leurs élèves. Ils arrivent en car jusqu'à l'observatoire. Tout à coup, ça fait beaucoup de bruit tout autour. J'ai perdu l'habitude. Ils viennent pour la journée. On leur explique notre travail. Ils ont beaucoup de questions, j'essaie de répondre avec ce que j'ai appris ici. C'est très chouette[21]. Fiona leur montre les oiseaux et leur raconte des histoires.

---

21. Chouette (adj.) : *Joyeux, bien, agréable, sympathique.* (fam.)

Quand elle parle des animaux qui attaquent les oiseaux – des ours, des loups –, les enfants ouvrent grand la bouche. Ils lui demandent si elle a peur. Elle fait non avec sa tête. Fiona est une fille qui n'a pas froid aux yeux[22], elle est courageuse. Mais elle a froid aux mains parfois, alors je les tiens plus fort, et on fait du thé.

Papy Lucien, je ne sais pas quand je rentre. Stephan m'a demandé de rester à l'observatoire encore quelques mois. J'ai dit oui. Ça ressemble à la vie que je veux, ici.

Je pense très fort à toi.

Mathieu

22. Ne pas avoir froid aux yeux (expr.) : *Être courageux, décidé.* (fam.)

5 mai 2012, Paris

Mathieu,

Sur la photo que tu m'as envoyée, tu sembles plus grand. Et moi je me sens plus vieux alors. Mais c'est la vie. Tu as raison, c'est important de rester là où on est bien. Ta Fiona a l'air d'être un drôle d'oiseau[23].

Ma santé ne va pas mieux. J'ai passé des examens. C'est comme si, moi aussi, j'étais dans un observatoire. Les médecins font des tests ; ils prennent des notes. Le docteur m'a expliqué les résultats. Il parlait mais il n'arrivait pas à me regarder dans les yeux. Je crois que j'étais comme un de tes lagopèdes dans la neige. Mon visage blanc contre les murs blancs de l'hôpital. Enfin voilà, tu sais. Tout cela finira bientôt. Ce n'est pas grave, c'est comme ça. J'ai vécu longtemps. Et je suis bien trop distrait[24] pour penser à prendre mes médicaments.

---

23. Un drôle d'oiseau (expr.) : *Une personne originale.*
24. Distrait (adj.) : *Qui oublie les choses qu'il doit faire.*

Que te dire, Mathieu ? C'est étrange, la vie. Moi je m'arrête ici. Vole de tes propres ailes[25], mon petit, je suis sûr que les lagopèdes t'ont appris.

Lucien, ton papy

---

25. Voler de ses propres ailes (expr.) : *Vivre sans l'aide d'autres personnes.*

Cher papa…

HÉLÈNE KOSCIELNIAK

À PROPOS DE L'AUTEUR

Hélène Koscielniak est une auteure canadienne, originaire du nord de l'Ontario.

Elle a longtemps travaillé dans le domaine de l'éducation. Sensible aux questions sociales et identitaires, elle aime également mettre sa région à l'honneur dans ses écrits.

Madeleine marche lentement. Habituée à son petit village natal, les visites à la grande ville la remplissent toujours d'émerveillement. Elle s'arrête devant chaque vitrine pour regarder les vêtements. Elle veut s'acheter un nouvel ensemble, veste et jupe, genre femme d'affaires. Quelle couleur choisir ? Le bleu royal la ferait-il paraître plus jeune ? Ou plutôt un beau vert éclatant ?

Elle a toujours été très fière de sa personne. Elle est grande et assez jolie, les yeux gris en forme d'amande et les cheveux légèrement bouclés. Dans sa jeunesse, elle avait été certaine de ne jamais vieillir. Et voilà que, sans s'en apercevoir, elle a atteint « l'âge d'or ». Le temps a passé trop vite. Beaucoup trop vite !

Si seulement il était possible de revenir en arrière. Elle pousse un long soupir[1]. Dommage que Ponce de León n'ait pas trouvé la fameuse fontaine de jouvence[2]. Elle serait sûrement allée y plonger !

Soudain, Madeleine est tirée de ses pensées par une voix chaude et masculine qui s'élève d'un resto bar. Un homme chante doucement en s'accompagnant à la guitare.

« *À la claire fontaine, m'en allant promener, j'ai trouvé l'eau si belle que je m'y suis baigné. Il y a longtemps que je t'aime, jamais je ne t'oublierai. Sous les feuilles d'un chêne, je me…* »

Cette mélodie lui rappelle d'émouvants souvenirs. Bouleversée, elle ne souhaite plus magasiner[3]. Elle décide de rentrer chez elle et d'écrire une lettre à son père. Cela l'aidera peut-être à soulager sa nostalgie…

---

1. Soupir (n.m.) : *Expiration forte pour exprimer de la peine, un regret.*
2. Fontaine de jouvence (expr.) : *Fontaine imaginaire qui prétend redonner la jeunesse.*
3. Magasiner (v.) : *Faire des courses dans les magasins, en québécois.*

Cher papa,

Tu es parti depuis plus de trente ans. Et tu me manques toujours. Ta mort a causé un grand vide en moi. J'aimerais tant te revoir. Même pour une seule journée. Tu ne croirais pas tous les changements depuis ton départ. Tu ne reconnaîtrais presque rien de la vie sur la terre.

Pour commencer, ma famille s'est agrandie. Je suis grand-mère, papa. Oui, moi, ta petite fille ! Mes deux garçons, David et Tom, sont tous les deux pères aujourd'hui. Ils ont chacun deux enfants. J'ai donc quatre beaux petits-enfants. Éric, mon trésor, a dix-neuf ans. Il étudie la chimie environnementale. Il veut changer le monde. Ma gracieuse Anik, dix-huit ans, étudie le travail social. Elle désire aider tous ceux qui ont des difficultés. Mon beau, grand Gabriel, onze ans, ferait ton bonheur, papa. C'est un joueur de hockey. Et finalement Maxine, neuf ans, te ferait sûrement penser à moi. Elle est sensible, déterminée et très bonne à l'école. Je suis si fière d'eux tous ! Si tu pouvais avoir la permission du ciel de venir passer du temps avec moi, je te les présenterais. Rien ne me ferait plus plaisir.

Mais, tu trouverais les changements à la famille difficiles à accepter. Car des familles comme la nôtre (un père et une mère vivant ensemble avec leurs enfants) ont presque disparu. Il y en a maintenant de toutes sortes : des familles recomposées[4], des familles monoparentales[5], des familles homoparentales[6], etc. Ces unions sont souvent fragiles et vite désunies. C'est bien triste. Parce que les enfants doivent alors aller d'un ménage à l'autre, d'une maison à l'autre et d'une école à l'autre. Moi-même, je ne sais plus qu'en penser…

Les attitudes et les valeurs aussi ont beaucoup changé. Pour toi, papa, né en 1922, ce

---

4. Famille recomposée (expr.) : *Famille formée à partir de deux familles précédentes.*
5. Famille monoparentale (expr.) : *Famille qui ne compte qu'un seul parent.*
6. Famille homoparentale (expr.) : *Famille dont les parents sont du même sexe.*

serait un choc. Le bon sens et la responsabilité semblent avoir quitté la planète. À la télé, ce n'est que bêtise, violence, kidnapping et terrorisme. Les vêtements choquants que portent les jeunes filles te scandaliseraient. Et les cheveux dressés sur la tête des jeunes hommes comme une queue de coq provoqueraient ta colère. Je n'ose même pas m'imaginer ta réaction devant la musique populaire. Ce qu'on appelle le « rap » n'est que du bruit d'enfer avec des cris, des injures[7] et des obscénités. Voilà ce qui a remplacé les belles chansons que tu me chantais en me berçant quand j'étais petite.

Par contre, tu serais émerveillé par les récentes technologies. Il y en a tellement ! Je ne peux pas toutes les décrire. Il est difficile de t'en parler. Car on a dû créer tout un nouveau langage pour ces inventions qui n'existaient pas à ton époque. C'est absolument incroyable !

---

7. Injure (n. f.) : *Insulte, grossièreté.*

Commençons par l'ordinateur. C'est un machin électronique qui ressemble à une de ces anciennes machines à écrire et qui est relié à un écran. On tape des questions sur le clavier et les réponses s'affichent toutes seules à l'écran. Où ce machin trouve-t-il ces réponses ? Sur Internet. Qu'est-ce que c'est ? Laisse-moi tenter de t'expliquer ce que j'ai parfois encore du mal à comprendre. Cet Internet est un immense réseau d'informations. Un peu comme une grande bibliothèque. Cependant, cette bibliothèque n'existe pas. C'est-à-dire qu'elle existe, mais dans un endroit virtuel. Hummm… comment préciser ? Tu te souviens de tante Anita ? Celle qui parlait, parlait, parlait ? Tu disais, en riant : « Elle va remplir toute la maison avec ses paroles. » Eh bien, ce réseau d'informations se trouve dans ce genre d'espace. On l'appelle le cyberespace. L'information y circule à une vitesse extraordinaire partout dans le monde. Presque aussi vite que les paroles de tante Anita ! Ha ! Ha ! Je vois fleurir ton p'tit sourire en coin sur ton visage.

Tu ne me crois pas, papa ? Je n'invente rien. Tout ceci est VRAI. Un autre exemple : si tu marchais dans la rue, tu verrais beaucoup de personnes, des enfants et des adultes, jouer du piano avec les pouces sur un gadget gros comme un paquet de cigarettes. Qu'est-ce que c'est ? Un téléphone ! Qu'on appelle un téléphone cellulaire. Et que font ces personnes à pianoter ainsi ? Ils envoient des textos. Ce sont des messages qui ressemblent un peu aux anciens télégrammes. Toutefois, ce téléphone cellulaire est beaucoup plus. C'est un mini-ordinateur. Il peut servir de montre, de calendrier, de carte routière, de machine à écrire, de service postal, de jouet, d'appareil photo, de poste de radio, de téléviseur, de journaux et j'en oublie ! Tout ça seulement en le touchant du doigt. Aucun bouton ! Tu croirais à de la magie.

Te souviens-tu, papa ? On rêvait, il y a longtemps, de se voir en bavardant au téléphone ? Tu riais en disant : « Ça n'arrivera jamais. Mais, si c'était le cas, ta mère ne s'en servirait pas avant de s'être faite toute belle. »

Eh bien, c'est devenu réalité. On peut voir la personne à qui on parle ! Et elle nous voit ! Et maman, malgré son âge avancé, réussit parfois à s'en servir.

Voilà pourquoi j'aimerais tant que tu viennes passer une journée avec moi. Un mois serait mieux. Pourquoi pas une année ? Tu découvrirais un grand nombre de nouveautés : robots chirurgiens, tablettes électroniques, ouvre-portes de garage à distance, lampes qui s'allument toutes seules, robinets automatiques qui coulent à la vue des mains, panneaux solaires qui tirent de l'électricité du soleil, GPS[8]…

Ah ! Le GPS ! Papa, tu serais impressionné par cet objet. Toi, le trappeur[9] d'animaux à fourrure qui te laissait guider par la position du soleil et ton intuition dans l'immense forêt boréale[10].

---

8. GPS (n.m.) : *Système de localisation mondial par satellite.*
9. Trappeur (n.m.) : *Chasseur qui attrape des animaux au moyen de pièges.*
10. Forêt boréale : *Grande forêt du Nord canadien.*

Oh ! Les souvenirs que cela ravive ! Je te vois revenir à la maison bien assis sur ta motoneige. Tu ramenais les castors[11], les renards et les loups dans le gros traîneau accroché au véhicule. Nous n'avions pas de garage. Alors tu découpais ces animaux sur la table de cuisine. Et maman se fâchait devant l'affreux désordre. En ce temps-là, piéger des animaux était un excellent emploi. Le commerce de la fourrure rapportait beaucoup d'argent.

Quoi d'autre encore ? Les automobiles ! Je viens de m'acheter une voiture neuve. Quelle différence avec la vieille auto rouillée dans laquelle tu nous amenais cueillir des bleuets[12] ! Tu te souviens ? De nos fameuses expéditions dans les bois ? Toi, moi, maman, Marie-Paule, Micheline, Georges, Patrick et Nancy ? Nous dormions tous les huit dans une toute petite tente. Serrés comme des sardines en boîte dans nos sacs de couchage. Au son de la musique

11. Castor (n.m.) : *Animal rongeur.*

12. Bleuet (n.m.) : *En Amérique du Nord, petit fruit sauvage de couleur bleue. En France, on utilise plutôt le mot « myrtille ».*

irritante des maringouins[13]. Quand j'y pense aujourd'hui, je tremble. Un ours aurait pu venir nous attaquer !

Revenons aux véhicules. De nos jours, ils sont tous équipés de ceintures de sécurité et de coussins gonflables. C'est pour éviter les blessures lors d'accidents. Je te vois pencher la tête et dire : « Quelle bonne idée ! » Les autos ont même des écrans de télé. On peut y regarder des films comme si nous étions à la maison ! J'aperçois ton sourire en te rappelant nos disputes d'enfants pendant nos voyages. Je t'entends t'exclamer : « Oh ! Si seulement on avait inventé cela de mon vivant ! »

Si tu revenais sur terre, cher papa, tu croirais que le monde est devenu fou. On peut maintenant parler aux voitures. Fait encore plus extraordinaire, elles répondent ! Elles demandent au conducteur son nom. Elles le dirigent. Elles lui disent si elles ont besoin d'essence. Oui ! On parle aux machines à

13. Maringouin (n.m.) : *Moustique vorace.*

présent ! Tout est informatisé. Ce qui veut dire que les véhicules fonctionnent avec ces fameux ordinateurs au lieu de la simple mécanique d'autrefois.

Cependant, la fabrication de toutes ces inventions cause de sérieux problèmes à l'environnement. Ce serait trop long et trop compliqué de t'expliquer comment et pourquoi. Toi qui aimais tant la chasse et la pêche, tu serais peiné de voir la pollution de nos forêts, de nos lacs et de nos rivières. Croirais-tu qu'on achète à présent l'eau à boire au magasin ? En bouteille. Et ça coûte très cher !

Même notre air est pollué. On parle de « réchauffement de la planète » et de « changements climatiques ». Ici, dans notre beau Grand Nord canadien, la neige et la glace fondent de plus en plus vite. Cela détruit l'habitat de nos ours polaires. Ces magnifiques animaux sont actuellement menacés de disparition.

Tu te souviens de nos discussions, papa ? Quand j'étais adolescente ? Et que je croyais tout connaître ? Je me revois dans la cuisine, aidant maman à laver la vaisselle pendant que tu fumais une cigarette, assis dans ta berceuse. J'affirmais que les humains se rendraient un jour sur la lune. Tu te moquais de moi en répondant avec conviction que tout ça n'était que contes de fées. Eh bien ! À présent, des astronautes vivent et travaillent dans ce qu'on appelle la Station spatiale internationale. C'est une structure grande comme un terrain de football. Elle tourne autour de la terre depuis dix-sept ans déjà.

Ce souvenir de nos discussions m'a fait réaliser un fait. En vieillissant, il est de plus en plus difficile de s'habituer au changement. C'est à mon tour maintenant de contredire mes petits-enfants quand ils prédisent des choses qui me semblent impossibles…

Éric est sur le point de devenir un de ces environnementalistes[14] convaincus. Il m'assure

---

14. Environnementaliste (n.m.) : *Personne qui se préoccupe de l'environnement, de la nature.*

que la Terre est en grand danger. Il dit que la planète est surexploitée et que la population continue d'augmenter. Il y a aujourd'hui un peu plus de sept milliards de « terriens ». Il a lu quelque part que nous vivons comme si nous avions une planète de plus à notre disposition. Et que si rien ne change d'ici l'an 2030, même deux planètes supplémentaires ne suffiront pas à nos besoins.

À bien y penser, cher papa, il est peut-être mieux pour toi de ne pas revenir. Même pour une journée. Tout est si différent. Tu ne t'y retrouverais pas. J'hésite à ajouter ceci… Mais il le faut pour te montrer jusqu'à quel point tout a changé. Depuis que les gens de ta génération sont partis, il semble que Dieu lui-même a disparu. On ne pratique presque plus de religion. Les gens ne vont plus à la messe ou si rarement que la belle église de notre village (celle que tu avais aidé à construire) a été transformée… en atelier de meubles.

ooooo

Les yeux remplis de larmes, Madeleine déchire lentement sa lettre. Puis, troublée par l'émotion, elle met son manteau et sort dans la nuit. Elle a besoin de marcher, de respirer, de réfléchir. Brusquement, une large silhouette apparaît devant elle : un orignal[15] ! Un de ces superbes mâles à grands bois[16]. Debout, immobile, l'animal la fixe patiemment d'un regard entendu. Un profond sentiment de joie s'empare de Madeleine. C'est son père ! C'est-à-dire que c'est l'esprit de son père ! Il a vu sa lettre. Et il lui apporte un signe d'espoir ! Sous forme de cette noble bête. Comme dans les vieilles légendes amérindiennes.

L'animal lève majestueusement la tête vers le ciel. Madeleine fait de même. La beauté du spectacle lui coupe le souffle. Là-haut, les aurores boréales[17] lui offrent un

---

15. Orignal (n.m.) : *Élan d'Amérique du Nord.*
16. Bois (n.m.pl.) : *Sortes de grandes cornes qui poussent sur la tête de certains animaux.*
17. Aurores boréales : *Banderoles de couleurs qui apparaissent parfois dans le ciel des régions polaires.*

magnifique tableau de couleurs vivantes. De longues flammes de vert, de rose et de mauve illuminent le ciel. Madeleine se sent étrangement rassurée. Elle comprend que son père vient ainsi confirmer son message d'optimisme. Tout n'est donc pas perdu.

D'une rive à l'autre

NOURA BENSAAD

À PROPOS DE L'AUTEUR

Noura Bensaad est une auteure tunisienne née à Salambô. Elle a publié un roman et plusieurs recueils de nouvelles.

Engagée dans la vie sociale et suivant de près l'évolution politique de son pays, elle tient un blog sur les transformations de la Tunisie depuis la chute de Ben Ali.

Cassis, 5 mars 2013

Chère Meriem

Enfin je reçois de tes nouvelles ! Tous ces événements rapportés par les médias m'ont soudainement ramenée vers toi et vers ma Tunisie quittée il y a si longtemps. Vive la télévision ! Vive Internet aussi, grâce à qui je t'ai retrouvée. La toile[1] fait bien son travail lorsqu'il s'agit de tisser des liens ou de les renouer.

Excuse-moi pour ce début d'une première lettre qui sera suivie de bien d'autres je l'espère.

1. Toile (n.f.) : *Au sens propre, morceau de tissu. Ici, Internet.*

Comme d'habitude je vais trop vite même si, avec mes jambes, je ne risque[2] plus de courir ni même de marcher. Cela fait plus de deux ans que je pense à t'écrire, depuis cette extraordinaire journée du 14 janvier 2011. Ce jour où je vous ai vus, où nous vous avons vus sur l'avenue Habib Bourguiba, crier votre colère contre Ben Ali et sa police. Pour moi, c'était aussi comme si mon pays bien-aimé et jamais oublié me criait : « Reviens Lucia, reviens sur cette terre où tu as passé ton enfance et une partie de ta jeunesse, où sont nés et ont vécu tes parents et tes grands-parents ! Viens retrouver ma lumière et ma chaleur, mes odeurs et mes couleurs ! »

Que de joie et que de larmes ! Oui, j'ai ri et j'ai pleuré comme une enfant. On m'a dit que je n'avais pas été la seule. Tous les exilés[3] de la Tunisie ont eu la même réaction en suivant les images de la libération de notre peuple.

---

2. Risquer de (v.) : *Avoir une chance de.*
Ne plus risquer de courir : *N'avoir aucune chance de courir.*
3. Exilé (n.m.) : *Personne qui vit en dehors de son pays.*

Car tu le sais ma chère Meriem, même si mes origines sont italiennes, c'est l'amour du pays où j'ai vu le jour qui habite mon cœur. Dix-huit ans après mon départ, le destin me ramenait enfin vers lui ! Je pensais déjà à préparer mes valises et puis il y eut l'accident : colonne vertébrale[4] touchée, jambes paralysées[5]. Et ensuite la rééducation[6], vingt longs mois de souffrance pour rien : elles refusent de m'obéir et j'ai bien peur que ce ne soit définitif.

Ma chère amie, c'est sur une chaise roulante que tu me reverras le jour où enfin je sauterai le pas[7] (tu vois, malgré tout, j'ai encore la force d'ironiser[8] sur mon sort), pour venir te retrouver, pour venir VOUS retrouver, vous tous mes amis d'autrefois !

Heureusement, il me reste la peinture. Il y a peu, je me suis installée avec mes toiles, mes

---

4. Colonne vertébrale : *Os du dos, appelés vertèbres.*
5. Paralysé (adj.) : *Qui ne peut plus bouger.*
6. Rééducation (n.f.) : *Ensemble d'exercices physiques pour aider le corps à se remettre d'une blessure.*
7. Sauter le pas (expr.) : *Oser faire quelque chose.*
8. Ironiser (v.) : *Faire de l'ironie, de l'humour, se moquer.*

pinceaux et mes tubes de couleur dans la cabane[9] de mon grand-père, face à la Méditerranée. Je suis seule dans mon joli petit refuge[10] qui se trouve tout en haut d'une colline[11].

Le jour, mes compagnes sont les cigales[12] : elles chantent si fort certaines fois que je me mets à taper deux casseroles l'une contre l'autre pour les faire taire ! Tu te souviens, c'était un de nos jeux favoris lorsque nous étions petites. Et puis vient la nuit et mes compagnes sont alors les vagues qui murmurent[13] des légendes de la mer pour me bercer[14].

Ma chère amie, je vais arrêter là mon bavardage[15] pour cette fois. Je suis très impatiente de

---

9. Cabane (n.f.) : *Petite maison très simple, souvent en bois.*
10. Refuge (n.m.) : *Lieu permettant de se cacher ou de se protéger.*
11. Colline (n.f.) : *Petite montagne.*
12. Cigale (n.f.) : *Insecte typique des pays méditerranéens, qui fait du bruit en frottant ses pattes.*
13. Murmurer (v.) : *Parler très doucement.*
14. Bercer (v.) : *Balancer d'un mouvement doux (comme pour endormir un enfant).*
15. Bavardage (n.m.) : *Discussion, conversation, fait de parler beaucoup.*

te lire : raconte-moi tout de toi et de mon pays. Je veux tout savoir de ce qui s'y passe depuis que la révolution a éclaté[16].

Avant de la glisser dans son enveloppe, je vais déposer ma lettre dans les herbes pour qu'elle s'imprègne[17] des odeurs de ma douce Provence. Peux-tu faire la même chose quand tu m'écriras ? Ainsi je pourrai respirer un peu du parfum de mon pays d'origine.

Lucia

---

16. Éclater (v.) : *Ici, commencer brusquement.*
17. S'imprégner (v.) : *Ici, prendre.*

Tunis, 27 mars 2013

Chère Lucia

Quel bonheur de te retrouver après si longtemps ! D'un seul coup, le passé est remonté à la surface de ma mémoire et mille souvenirs ont envahi mon esprit. Je suis si impatiente de te revoir ! Nous avons tellement de choses à nous dire après ces longues années de séparation. En attendant, comme tu me l'as demandé, je vais essayer de te faire le récit de cette Tunisie révolutionnaire.

Ici, nous vivons au rythme de notre colère. Cette colère qui a provoqué[18] la fuite de Ben Ali après vingt-trois ans de dictature[19] policière. Mais comment te raconter ? Quels mots choisir ? La feuille blanche est devant moi et je n'ose pas écrire. J'ai peur de me tromper, de ne pas avoir la force ou le talent nécessaires pour

18. Provoquer (v.) : *Ici, avoir pour résultat.*
19. Dictature (n.f.) : *Système politique dans lequel un chef prend tous les pouvoirs.*

te rendre compte de cet extraordinaire moment qui dure maintenant depuis plus de deux ans.

Pourtant, ils sont là ces mots et ils se pressent, se poussent dans ma tête. Ils sont au bout de mes doigts, prêts à sortir de mon stylo en même temps que l'encre noire qui forme leurs lettres, mais je les retiens, encore et encore. Je les examine, les considère avec crainte : quand l'un d'eux sera posé sur le papier, d'autres ne viendront-ils pas le bousculer pour ajouter un sens, démentir[20] ou s'opposer ? J'hésite. Je voudrais commencer mon récit par un seul mot, un mot plus intense que tous les autres.

Tout à coup, je m'aperçois que le mot que je cherche est déjà là. Il s'impose à moi, soufflant à mon esprit : « Je suis celui que tu cherches, il n'y en a pas d'autres que moi. » Mon stylo finit par glisser sur le papier et il

---

20. Démentir (v.) : *Dire le contraire, nier la vérité de ce qui a été dit.*

apparaît enfin au milieu de la page en lettres majuscules :

RÉVOLUTION

Mais à peine[21] écrit, voilà que d'autres mots se précipitent en s'écriant :

« Et moi ? »

« Et moi ? »

« Et moi ? »

Alors je pose mon stylo et leur demande l'un après l'autre :

« Mais pourquoi toi ? »

« Parce que je suis nécessaire. »

« Nécessaire à quoi ? »

« À compléter, répond le premier, je me nomme *POPULAIRE*. »

« À nuancer,[22] répond le deuxième, je me nomme *INSURRECTION*[23]. »

---

21. À peine (loc.adv.) : *Ici, tout juste, depuis peu de temps.*
À peine écrit : *Juste après avoir été écrit.*
22. Nuancer (v.) : *Apporter une légère précision.*
23. Insurrection (n.f.) : *Révolte, opposition à un pouvoir.*

« À opposer, répond le troisième, je me nomme *CONTRE-RÉVOLUTION.* »

Je finis par perdre patience et je m'écrie :

« Aucun d'entre vous ne m'est nécessaire, mais je vous remercie de vous être manifestés[24], grâce à vous je comprends que *Révolution* ne suffit pas. »

Et, pour mieux leur signifier mon refus, je referme sèchement mon cahier sur eux et je les enferme dans un tiroir de mon bureau. Je veux être sûre de ne plus entendre leurs protestations.

À demain, chère amie, cette drôle de lutte[25] m'a épuisée.

---

24. Se manifester (v.) : *Montrer sa présence, se faire remarquer.*
25. Lutte (n.f.) : *Combat.*

Tunis, 28 mai 2013

Chère Lucia,

Je m'étais promis de continuer cette lettre, je l'ai finalement interrompue[26] pendant plus de deux mois ! J'espère que tu ne m'en voudras pas trop. Je suis prise dans une terrible contradiction : d'un côté, je voudrais tout dire, tout raconter, de l'autre, il me semble qu'un seul mot devrait suffire pour exprimer toute la force de l'événement qui a bouleversé nos existences. Mais je n'arrive pas à mettre mon esprit au repos, toute cette tension qui nous entoure m'empêche de me concentrer.

(Trois heures plus tard)

Enfin, je l'ai trouvé ! Il était si évident qu'à force de[27] l'entendre je ne le voyais plus. Comme le dit si bien le dicton[28] : « Le point le plus obscur se trouve sous la lampe. »

---

26. Interrompre (v.) : *Arrêter, faire une pause.*
27. À force de (loc.adv) : *Par une action répétée, par la répétition.*
28. Dicton (n.m.) : *Proverbe, expression ou formule courte de la sagesse populaire.*

Ce mot, depuis le 14 janvier 2011, nous l'avons tous crié un jour ou l'autre et il résume à lui seul la révolution tunisienne :

DÉGAGE[29] !

J'arrête là ma lettre. J'attends avec impatience l'instant où notre correspondance sera remplacée par des conversations en tête-à-tête[30].

Meriem

29. Dégager (v.) : *Ici, partir, s'en aller.* (fam.)
30. En tête-à-tête (loc.adv) : *Face à face, entre deux personnes seules.*

Cassis, 10 juin 2013

Chère Meriem,

Ta réponse m'a à la fois étonnée et touchée. Je m'attendais à une très longue lettre remplie de scènes vécues ou entendues. Finalement, elle était surtout pleine de cette difficulté presque douloureuse à trouver les mots pour dire une situation aussi exceptionnelle. Je n'ai peut-être pas appris de choses nouvelles, mais ta lettre m'a permis de comprendre l'état d'esprit dans lequel tu te trouves et qui doit être celui de beaucoup de Tunisiens et de Tunisiennes.

Moi, je continue à vivre enfermée dans ma bienheureuse et égoïste solitude. Cela doit t'étonner, tu me connaissais si sociable ! Parfois, cependant, je me rends au village le plus proche pour retrouver la compagnie des êtres humains. Hier, un très vieil homme s'est assis près de moi, sur la terrasse de l'unique café du village. Son visage était creusé de rides[31], sa peau

31. Ride (n.f.) : *Petit pli de la peau (en général à cause de l'âge).*

noircie par le soleil. Et je ne sais pas pourquoi il s'est mis à me raconter une histoire que je te rapporte[32] à mon tour. Tu sais combien j'ai toujours aimé les contes, ils nous apprennent tant de choses sur la vie !

C'est l'histoire d'un pauvre pêcheur qui a de plus en plus de mal à nourrir sa famille. Chaque jour, à bord de sa petite barque[33], il part plus loin sur la mer. Parfois il retire de l'eau quelques misérables poissons, d'autres fois il n'attrape dans son filet que des algues[34] et des coquillages. Un soir, seul sur la plage et désespéré, il s'adresse à la mer et lui demande d'avoir pitié de lui. Juste à ce moment, deux voix lui parviennent qui semblent sortir de deux gros rochers posés sur le sable. Mario, c'est le nom de notre pêcheur, s'en approche alors discrètement et il entend les deux voix décrire un endroit extraordinaire, un endroit où la mer est si riche en poissons qu'elle en devient couleur

---

32. Rapporter (v.) : *Ici, raconter.*
33. Barque (n.f.) : *Petit bateau sans moteur.*
34. Algue (n.f.) : *Plante qui pousse sous l'eau.*

or et argent. Ne perdant pas un mot de ce que les deux voix se disent, il retient exactement où ce lieu se trouve, puis, sans attendre la fin de la conversation, il se précipite chez lui.

Le lendemain, avant même le lever du soleil, Mario saute dans sa barque et se met à ramer[35] dans la direction du lieu magique. Aujourd'hui est son jour de chance, il ne peut pas attendre une seconde de plus ! Il emmène avec lui tous ses filets[36] et les filets de ses voisins car il veut pouvoir rapporter le plus de poissons possible. Après quelques heures de navigation[37], le courant[38] devient soudain très fort, mais il ne s'en inquiète pas, il ne pense qu'à une chose, à sa future pêche miraculeuse ! Enfin, en apercevant deux gros rochers qui

35. Ramer (v.) : *Faire avancer un bateau avec des rames (longs morceaux de bois avec une partie plate).*
36. Filet (n.m.) : *Réseau de fils croisés utilisé pour attraper des poissons.*
37. Navigation (n.f.) : *Action de se déplacer sur l'eau avec un bateau.*
38. Courant (n.m.) : *Déplacement d'eau, mouvement de l'eau dans une certaine direction.*

sortent de l'eau et qui ressemblent étrangement à ceux derrière lesquels il s'était caché la veille, il comprend qu'il est arrivé. Comme par magie, les flots[39] se mettent à briller d'une lueur[40] presque aveuglante. Mario se penche au-dessus de la barque et ce qu'il voit le remplit d'émerveillement : des milliers de poissons nagent dans l'eau claire, leurs écailles[41] reflétées par la lumière du soleil font briller la mer comme un tapis d'or et d'argent. Il reste longtemps à la contempler, puis il plonge encore et encore ses filets, les ramenant à chaque fois pleins de poissons de toutes les variétés. Ce n'est que lorsque sa barque alourdie[42] disparaît presque sous leur poids qu'il se décide à repartir. Mario saisit alors ses rames et appuie avec force sur elles, mais, comme si elle refusait de quitter ce lieu magique, la barque reste immobile. Pour la rendre plus légère, il se décide à rejeter

39. Flot (n.m.) : *Eau en mouvement.*
40. Lueur (n.f.) : *Lumière faible.*
41. Écaille (n.f.) : *Petite plaque sur le corps d'un poisson.*
42. Alourdi (adj.) : *Rendu lourd.*

dans la mer une partie de sa pêche et recommence à ramer mais toujours sans résultat. Il répète la même opération deux fois, trois fois jusqu'à être épuisé[43]. Soudain, il se rappelle du courant qui l'a aidé à atteindre ce lieu et comprend la cruelle réalité : ce courant si puissant l'empêche maintenant de refaire le chemin en sens inverse !

Voilà, chère Meriem, comment se termine cette histoire pleine d'enseignements : ne nous fait-elle pas réfléchir sur notre liberté de choix lorsque nous nous engageons[44] sur un nouveau chemin ?

Lucia

43. Épuisé (adj.) : *Très fatigué.*
44. S'engager (v.) : *Ici, prendre un chemin, avancer.*

Tunis, 21 juin 2013

Chère Lucia,

Cette fois, je vais essayer de te parler de cette Tunisie qui résiste à la folie des événements. Le pays semble emporté par un puissant courant vers des rives[45] inconnues mais certains endroits restent les mêmes. Je te propose de visiter un village de pêcheurs.

Ce village s'appelle Ghar el Meleh (la grotte au sel) ou Porto Farina (port Farina) du nom du cap[46] à côté. Ce lieu a été occupé par les Phéniciens, les Espagnols puis par les Ottomans, qui y ont envoyé leurs corsaires[47] dont le fameux[48] Barberousse. Au dix-septième siècle, un village est apparu. Et au dix-neuvième siècle, un roi de Tunis a voulu en faire un port pour sa flotte militaire. Mais quelques années plus tard, le projet a été abandonné et

---

45. Rive (n.f.) : *Terre au bord d'un fleuve ou d'un lac.*
46. Cap (n.m.) : *Pointe de terre sur la mer.*
47. Corsaire (n.m.) : *Pirate.*
48. Fameux (adj.) : *Célèbre.*

Ghar el Meleh est redevenu un simple village de pêcheurs.

Curieusement, il est resté depuis comme en dehors du temps. C'est peut-être à cause de sa position géographique : il se situe en effet entre une montagne et un lac qui se prolongent jusqu'à la mer, bordée d'une longue plage au sable blanc très fin. C'est un lieu magique, loin du bruit et de la fureur[49] de la ville. Ici, le rythme de vie et les habitudes sont restés les mêmes.

Mais je reviens à ton récit. Ton héros est aussi un pêcheur… et peut-être un symbole de ce que nous, Tunisiens, vivons depuis les premiers jours de cette fameuse « révolution du jasmin »[50]. Car nous avons tout à coup découvert, nous aussi, un lieu de merveilles dont nous avons rempli notre petite barque. Nous nous sommes précipités sur les fruits de cette liberté

49. Fureur (n.f.) : *Colère très violente. Ici, grande agitation.*
50. Révolution du jasmin : *Nom parfois donné à la révolution tunisienne. Le jasmin est la fleur emblématique de la Tunisie.*

qui était comme un miracle. Mais les jours de grand doute, je me demande si nous saurons être assez forts pour sortir d'une situation semblable à un piège[51]. Le 23 octobre 2011, comme tu le sais, les élections[52] ont permis la formation d'une Assemblée de représentants du peuple chargée[53] de rédiger la deuxième constitution[54] de la Tunisie depuis son indépendance. Cela fait maintenant deux ans et cette période transitoire[55], qui ne devait pas durer plus de quelques mois, n'en finit pas de se prolonger[56]. Les trois partis, parmi lesquels le parti islamiste, qui ont remporté le plus de sièges à l'Assemblée ont formé la Troïka (c'est le nom donné à leur alliance) pour gouverner, mais ils ne semblent plus vouloir quitter le pouvoir.

---

51. Piège (n.m.) : *Dispositif utilisé pour attraper un animal. Ici, situation qui présente un danger.*
52. Élection (n.f.) : *Choix d'une personne par un vote.*
53. Chargé (adj.) : *Qui a une mission.*
54. Constitution (n.f.) : *Ensemble des lois qui posent les bases d'un système politique.*
55. Transitoire (adj.) : *Passager, qui ne doit pas durer.*
56. Se prolonger (v.) : *Continuer, se poursuivre.*

Et nous voici comme prisonniers d'un courant contraire qui nous immobilise[57], nous empêche d'avancer sur la voie de la démocratie[58] ! Maintenant, certains regrettent même ce jour où d'une seule voix nous avons crié « Dégage ! » au dictateur. Moi je garde espoir, nous saurons construire un pays libre, mais combien la route sera longue !

Meriem

57. Immobiliser (v.) : *Empêcher de bouger, d'avancer.*
58. Démocratie (n.f.) : *Système politique dans lequel les citoyens choisissent leurs représentants.*

Cassis, 14 juillet 2013

Chère Meriem,

Je continue de t'écrire depuis ma cabane. Chaque jour, je contemple[59] la mer. En fonction de son humeur, elle est douce ou dure. Pour l'instant, je n'ai pas encore eu le courage de plonger dans ses eaux claires. J'attends, je ne sais pas trop quoi, mais j'attends. Ce n'est pas l'envie qui me manque, mais je crois que j'ai peur. Oui, j'ai peur de ce premier instant où j'entrerai dans la mer et où je découvrirai que la moitié de mon corps ne ressent plus rien, pas même la caresse[60] de l'eau sur sa peau !

Pour oublier ma triste situation, je me replonge dans mes moments de bonheur passé et tes lettres sont comme des perches[61] qui m'aident à sauter loin en arrière dans le temps.

---

59. Contempler (v.) : *Regarder, admirer.*
60. Caresse (n.f.) : *Geste tendre, doux. Ici, le contact doux et léger de l'eau.*
61. Perche (n.f.) : *Long morceau de bois qui sert à franchir une barre dans le domaine sportif.*

Hier, je me suis rappelé ces jours d'été où nous nous rendions en famille sur la petite plage de Salammbô, t'en souviens-tu ? Quand nous étions petites, elle nous paraissait si grande ! Et la mer était pleine de trésors, tels[62] ces coquillages blancs que nous nous amusions à pêcher en fouillant[63] le sable à l'aide de nos petits doigts et que nous mangions sur place. La journée passait ainsi entre nos baignades et des moments de pause forcés pour se reposer à l'ombre des parasols multicolores. Et lorsque le soleil disparaissait, nous reprenions le chemin du retour, endormies sur le dos des adultes. Je sais que tout cela n'existe plus que dans mes souvenirs. Je sais que cela ne reviendra plus. Et c'est pour cela que je ne me sens pas encore prête à retourner dans le pays de mon enfance. Trop peur d'être confrontée à un passé mort, tout comme mes jambes !

Lucia

62. Tel (adj.indéf.) : *Comme.*
63. Fouiller (v.) : *Chercher en creusant.*

Tunis, 19 août 2013

Chère Lucia

Une fois de plus, j'ai laissé passer un temps trop long avant de te répondre. Mais c'est Ramadan[64] ! Et tu sais comme ce mois est spécial : quand tous les êtres communient[65] par le jeûne[66], tout s'inverse, les habitudes et le rythme de vie. Les journées sont incroyablement longues… et quand elles se terminent, c'est comme si tout ne faisait que commencer !

Après des heures sans rien boire ni manger, arrive enfin le moment où cette épreuve prend fin et l'on se retrouve en famille pour la rupture du jeûne. Au menu : bricks, chorbas, tajines[67], salades tunisiennes et divers plats de résistance.

---

64. Ramadan (n.m.) : *Neuvième mois de l'année musulmane, pendant lequel on jeûne (on se prive de nourriture volontairement).*
65. Communier (v.) : *Partager avec d'autres ses sentiments, ses idées, sa foi.*
66. Jeûne (n.m.) : *Fait d'arrêter de manger, privation de nourriture.*
67. Bricks, chorbas, tajines : *Plats typiques du Maghreb.*

Puis c'est la séance télé avec un feuilleton[68] spécial Ramadan. Et enfin nous terminons la soirée par des discussions animées ou des parties de cartes en buvant du thé vert et en mangeant de délicieuses sucreries. C'est chaque fois la même chose, et c'est chaque fois un aussi bon moment. Sauf cette année. Ramadan, le mois de la paix pour les musulmans, a été marqué par la violence et le sang : le 25 juillet, jour de la fête de la République, un député de l'opposition a été sauvagement tué devant son domicile[69]. Bien sûr, cela nous a rappelé le 6 février, quand Chokri Belaïd, opposant à l'actuel gouvernement, a été assassiné lui aussi ! Un deuxième choc qui a traumatisé toute la population.

Aussi, pour beaucoup d'entre nous qui vivons dans la capitale, ces soirées du mois saint se déroulent d'une manière exceptionnelle : après la séance repas/feuilleton, nous

68. Feuilleton (n.m.) : *Ici, émission télévisée en plusieurs épisodes.*
69. Domicile (n.m.) : *Maison où on habite.*

nous rassemblons sur la grande place du Bardo, devant le siège de l'Assemblée. Ensemble, nous crions notre refus de la violence politique. C'est ici que nous communions, différemment, et les fidèles[70] ne manquent pas à l'appel. Le 6 août, jour de commémoration[71] de l'assassinat de Chokri Belaïd, nous étions un demi-million de personnes à envahir la place et les rues ! Nos discussions en famille se sont transformées en discussions entre citoyens. Nous sommes descendus dans la rue pour demander, de manière pacifique[72], le départ de la Troïka qui a toléré les appels à la haine et parfois même au meurtre de la part d'extrémistes islamistes.

Chère Lucia, puisque tu ne te sens pas prête à enjamber la mer, c'est moi qui vais le faire ! Depuis le temps que nous nous promettons de nous retrouver, je crois que le moment est enfin arrivé. « Mes jambes ne me portent

---

70. Fidèle (n.m.) : *Ici, croyant.*
71. Commémoration (n.f.) : *Fait de marquer l'anniversaire d'un événement, de rappeler son souvenir.*
72. Pacifique (adj.) : *Paisible, sans violence.*

plus ! », m'as-tu répété au téléphone lorsque je t'ai annoncé ma prochaine venue. Comme si tu t'excusais de n'être plus tout à fait la même. Moi, je sais que cela ne nous empêchera pas de nous promener dans les collines de ta belle Provence ni de plonger dans les eaux claires de la Méditerranée. Et non, tu ne seras pas un poids lourd que je traînerai avec moi ! Un jour, j'ai entendu un médecin dire, crier presque, à des blessés de la révolution à qui il consacre tout son temps : « Si vous ne pouvez plus marcher comme avant, alors dansez avec votre vie ! »

Parmi les sacrifiés de la révolution, certains sont morts, tués d'une balle dans la tête ou dans le cœur par les forces de l'ordre ou par des snipers ; d'autres ont perdu l'usage de leur jambe à cause d'une balle tirée à bout portant[73] dans le genou, pour être sûr de détruire. Et c'est effectivement une partie de leur vie que l'on a ainsi tenté de briser. Eux, si jeunes pour la

---

73. À bout portant (expr.) : *De très près.*

plupart, ne pourront plus courir dans la lumière du vent. Comme toi ma chère Lucia, comme notre révolution, à qui des forces ennemies tentent de couper les jambes pour l'empêcher de courir et de voler. Mais s'il sait danser avec son esprit, alors rien ne peut détruire la volonté d'un homme !

À très bientôt ma chère Lucia, dans quelques jours, je serai près de toi.

Meriem

TABLE DES MATIÈRES

L’Observatoire .... p. 11

Cher papa... .... p. 29

D'une rive à l'autre .... p. 47

Crédits

Principe de couverture : David Amiel et Vivan Mai
Direction artistique : Vivan Mai
Crédits iconographiques de la couverture : haut : Jordan McRae/Gettyimages ; David Madison/Gettyimages

Édition et mise en pages : Nelly Benoit

Enregistrement, montage et mixage : Studio EURODVD

ISBN 978-2-278-08255-1 – ISSN 2270-4388 – Dépôt légal : 8255/06
Achevé d'imprimer en septembre 2022 par Dupliprint (Mayenne), en France